CW00405794

Loulou
de Montmartre

L'homme à la canne d'argent

Cette histoire est tirée du dessin animé
Loulou de Montmartre, épisode 1 :
« Le retour de l'homme à la canne d'argent ».

© PICTOR MÉDIA / THE ANIMATION BAND – 2007
Avec la participation de France 3 et Rai fiction
Scénario de Françoise Boublil et Jean Helpert
Réalisation de Patrick Claeys et Giuseppe Lagana
Création des personnages et des décors de Daniel Cacouault et Sidney Kombo

Pour la présente édition :
© 2009, Bayard Éditions
© 2008, Bayard Éditions Jeunesse
Tous droits réservés. Reproduction même partielle interdite
Septième édition
Dépôt légal : mars 2008
ISBN : 978-2-7470-2348-1
Loi du 16 juillet 1949 sur les publications à destination de la jeunesse.

Scénario et adaptation de Françoise Boublil et Jean Helpert

Loulou
de Montmartre

L'homme à la canne d'argent

bayard poche

1   Paris, 1887

Une lune de novembre blafarde projetait sur la colline endormie l'ombre du Sacré-Cœur en construction.

L'hiver, précoce en cette année 1887, s'abattait avec férocité sur le village de Montmartre, nouvellement rattaché à la ville de Paris.

Ce n'était pas une nuit à s'aventurer dans ses rues vides, tortueuses et froides. Pourtant une jeune femme courait sur le pavé luisant.

Elle s'arrêta pour reprendre son souffle, s'agrippant à une grille de sa main fine. La lueur d'un réverbère fit briller à son doigt une bague gravée d'armoiries représentant un cygne.

Le nourrisson qu'elle serrait contre elle, enveloppé dans une couverture, poussa un petit cri. Elle lui murmura d'une voix blanche :

– Ils ne nous auront pas, mon amour...

Elle portait une longue pèlerine dont la capuche lui recouvrait la tête, dissimulant son visage. Elle scruta anxieusement l'obscurité : n'était-elle pas poursuivie ?

Elle resta un instant immobile, l'oreille tendue. Seul le clapotis de l'eau qui coulait dans le caniveau troublait le silence. Le sang cognait à ses tempes. Elle avait peur… Il lui semblait se débattre en plein cauchemar. Si seulement elle pouvait se réveiller ! La nuit ne finirait-elle donc jamais ?

Une horloge égrena les douze coups de minuit.

Elle perçut alors le son de souliers ferrés qui martelaient le pavé. Une voix mauvaise ordonna :

– Fouillez tous les recoins ! Il ne faut pas qu'elle nous échappe !

Elle faillit hurler de terreur. Seule la chaleur du léger fardeau qui reposait dans ses bras l'en empêcha : elle devait survivre pour cette enfant qu'elle venait de mettre au monde.

Elle eut un regard de louve prête à tuer pour défendre son petit. Comme elle obliquait en hâte dans une rue étroite, la première neige se mit à tomber.

Un flocon s'écrasa sur les lunettes fumées du chef des poursuivants. Il essuya le verre d'un doigt ganté. Son autre main tenait une canne dont le pommeau d'argent avait la forme d'une tête de tigre. Enveloppé dans une cape noire, coiffé d'un chapeau haut de forme, le visage masqué par une épaisse écharpe rouge, il avait une allure sinistre. Ses deux acolytes, un petit borgne et un individu à la carrure de lutteur, surgirent de l'ombre. D'un mouvement de tête autoritaire, l'homme à la canne leur fit signe de continuer la poursuite.

La lumière des réverbères se reflétait sur les pavés de la place du Tertre, déjà recouverts d'un mince manteau blanc. La jeune femme s'y engagea, longeant les murs pour ne pas être vue et ne pas laisser de traces sur la neige.

Un instant, le désespoir la submergea. Elle déposa un baiser sur la tête du bébé, respira son odeur. Ceux qui la pourchassaient ne tarderaient à la rattraper, et ils seraient sans pitié. Quand elle releva les yeux, elle aperçut la sombre silhouette de l'église Saint-Pierre de Montmartre.

Des coups sourds, frappés à la porte de l'église, alertèrent le père Ménard. Un courant d'air fit vaciller la flamme des cierges brûlant devant l'autel.

Lorsque des bruits de pas retentirent dans son dos, le prêtre sut aussitôt qu'il ne recevait pas la visite d'un fidèle en mal de confession. L'individu qui s'avançait n'était pas du genre à demander l'absolution de ses péchés. Il était accompagné d'un petit borgne et d'un colosse qui ressemblait à un lutteur de foire. Le tigre d'argent ornant le pom-

meau de sa canne étincelait à la lueur des cierges. Il se campa devant le prêtre.

– Police ! fit-il en brandissant un insigne. Nous recherchons une dangereuse criminelle. L'aurais-tu vue, curé ?

Le père Ménard le considéra calmement :

– À cette heure-ci, je suis seul avec mes prières. Non... personne n'a troublé ma quiétude...

Il eut un sourire ironique :

– À part vous, messieurs !

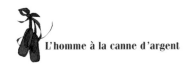

L'homme à la canne fit signe à ses comparses de sortir. Il scruta longuement le curé, comme s'il voulait inscrire ses traits dans sa mémoire, tout en songeant :

« Il est bien arrogant, ce prêtre. Pour qui se prend-il ? »

Puis il pivota sur ses talons et s'éloigna.

Le curé s'approcha alors du confessionnal et en écarta le rideau : la femme fixa sur lui de grands yeux emplis d'effroi et serra plus fort son nourrisson contre elle.

– N'ayez pas peur, mon enfant, ils ne sont plus là, dit le père Ménard d'une voix rassurante.

Posant sur l'inconnue un regard insistant, il ajouta :

– Ils se disaient de la police. Auriez-vous commis quelque faute grave ?

Après un temps d'hésitation, elle murmura :

– M'auriez-vous aidée si vous n'étiez convaincu du contraire ? Je vous demande de prendre ma petite sous votre protection.

Le père Ménard était un homme de Dieu ; il aurait aidé n'importe quel être en détresse. Il pressentait cependant que cette rencontre allait bouleverser sa vie.

Il contempla la jeune mère et le bébé, qui babilla, ouvrant de grands yeux d'un bleu profond.

– N'avez-vous personne d'autre à qui la confier ?

– Non. Et dans quelques heures, quelques minutes, je ne serai peut-être plus de ce monde.

Avec fièvre, elle souffla :

– Mais elle, elle a le droit de vivre !

Le curé entraîna la jeune femme vers un bas-côté :

– Suivez-moi... Vous sortirez par le cimetière. Personne ne connaît cette porte.

La neige avait transformé les tombes en petits monticules blancs.

– Comment s'appelle-t-elle ? demanda le père Ménard.

Déchirée par le chagrin, la jeune mère se détourna un instant, balbutiant :

– Oh, mon Dieu, pardonnez-moi !

Puis elle se reprit et déposa l'enfant entre les bras du prêtre :

– Prenez-la !

– Mais... son nom ?

– Appelez-la simplement Loulou.

– Loulou ?

– Oui. Il vaut mieux que vous ignoriez son vrai nom... et le mien. Méfiez-vous de l'homme à la canne d'argent !

– Et quand elle me demandera qui est sa mère ?

Une profonde tristesse altéra le visage de la jeune femme :

– Ne lui parlez jamais de moi ! Il en va de sa vie !

Elle sortit de la poche de sa pèlerine un paquet enveloppé dans du papier journal et attaché par une ficelle :

– Donnez-lui ceci quand elle sera grande.

La pauvre mère caressa une dernière fois la joue du bébé, qui babillait.

– Êtes-vous sûre de ce que vous faites ? insista le père Ménard.

La jeune femme s'enfuit sans répondre. Jetant un regard en arrière, elle lança dans un sanglot :

– Adieu, ma Loulou ! Pardonne-moi !

Puis elle disparut dans la nuit glacée.

La neige tombait fort, effaçant la trace de ses pas. Un silence ouaté s'installa sur la colline du Tertre.

Le chant du coq résonna sur Montmartre encore endormi. L'air était froid et coupant. Des pas firent craquer la neige, qui avait gelé pendant la nuit : le père Ménard se hâtait. Il serrait dans ses bras le bébé hurlant de faim.

– Patience, ma petite ! murmura-t-il. Tu vas bientôt avoir à manger.

Il s'engagea dans une rue escarpée, dérapant sur le verglas, et s'arrêta devant une petite maison aux murs décrépits.

La pièce dans laquelle il pénétra était éclairée par une lampe à pétrole posée sur un vaisselier. Une bouilloire sifflait sur une grosse cuisinière, où chauffait aussi une lessiveuse. Des chemises d'homme séchaient sur une corde. Autour de la table, de jeunes enfants mangeaient leur soupe.

Debout, près d'eux, se tenait une femme d'une quarantaine d'années aux épais cheveux roux, noués en chignon sur sa nuque. Sans marquer le moindre étonnement, elle tendit les bras pour prendre le nourrisson.

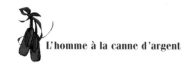

– Encore un p'tiot déposé sur les marches de l'église, hein, curé ? demanda-t-elle.

Le prêtre acquiesça :

– En quelque sorte, Léontine. Sauf que le p'tiot est une fille. Elle s'appelle Loulou.

– Et, bien sûr, ça a le ventre vide !

Léontine eut vite fait de préparer un biberon. En l'apercevant, Loulou, affamée, agita les mains et cessa de pleurer. Dès qu'elle eut la tétine entre les lèvres, elle se mit à boire avec tant d'avidité que la femme éclata de rire :

– C'est qu'elle est gloutonne, la louloute !

– Loulou ! rectifia le père Ménard.

Prenant le curé à témoin, Léontine soupira :

– Ça fait de la peine de voir une belle petiote comme ça partir déjà pour l'orphelinat !

– Justement, Léontine, je pensais que vous pourriez...

– Je vous vois venir, l'interrompit-elle, non sans malice.

Elle marqua une pause puis concéda :

– Bon, c'est entendu ! Mais ça vous coûtera deux sous la semaine.

– Un sou !

Léontine fixa le prêtre d'un air moqueur :

– Un curé qui discute, voyez-vous ça ! Enfin, allons-y pour un sou ! J'sais bien que vous n'êtes pas riche...

Contemplant la petite qui tétait avec appétit, elle murmura :

– Comment une mère a-t-elle pu abandonner une si gentille louloute ?

Un cheval hennit, des sabots claquèrent sur les pavés : un fiacre venait de s'immobiliser devant le port du Havre.

Le cocher descendit prestement de son siège, pour déplier le marchepied en acier. Des souliers ferrés résonnèrent sur les marches. Une cape virevolta dans le vent. Le passager s'appuyait sur une canne dont le pommeau d'argent représentait un tigre. Il fit quelques pas, puis s'abrita les yeux de la main pour examiner l'horizon.

Droit devant, un navire battant pavillon américain voguait vers le large.

– Trop tard ! lâcha l'homme.

Puis il marmonna entre ses dents :

– Même si je dois y consacrer toute ma vie, je jure que je vous retrouverai, toi et ta fille ! Vous ne m'échapperez pas...

Accoudée au bastingage, une jeune femme fixait avec désespoir la côte française qui s'éloignait. Elle laissait derrière elle tout ce qu'elle aimait.

Frissonnante, elle serra les pans de sa pèlerine autour de ses épaules. Un jour, oui, un jour, elle reviendrait ! Elle s'accrocha à cette pensée, y puisant le courage d'affronter la solitude et l'inconnu...

2

Douze ans plus tard...

Au fond d'une vaste salle de classe, le poêle en fonte ronronnait comme un vieux matou. Derrière les fleurs de givre qui constellaient la vitre, la basilique du Sacré-Cœur, encore inachevée, se détachait sur le ciel gris. Au tableau était écrite, à la craie, la date du jour : Lundi 12 décembre 1899.

Petit Louis, debout à sa place, ânonnait la table de trois en se tripotant l'oreille :

– Trois fois cinq : quinze, trois fois six : dix-huit, trois fois sept... Euh... trois fois sept...

– Vingt et un ! chuchota derrière lui une jolie brunette aux grands yeux bleus.

– On ne souffle pas, Loulou ! la gronda l'instituteur.

Les autres enfants pouffèrent.

– Puisque tu veux faire ta maligne, reprit le maître, dis-moi donc combien font neuf fois huit.

– Neuf fois... euh...

Avant que l'écolière ait pu répondre, la cloche sonna, annonçant la fin des cours. Le maître eut un sourire goguenard :

– Sauvée par la cloche... Tu as de la chance, Loulou !

– Mais je connais la réponse ! lui lança la fillette, triomphante. Neuf fois huit : soixante-douze !

Déjà les élèves se levaient dans un grand brouhaha de livres qu'on refermait et de plumiers qu'on claquait. En quelques instants, la classe se vida.

Sous le préau, les écoliers en chaussons de feutre retrouvèrent les uns leurs sabots, les autres leurs galoches. Bientôt tous s'égaillèrent dans les ruelles de la Butte.

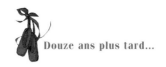

Loulou courut derrière un groupe d'enfants qui se battaient à coups de boules de neige, esquiva une attaque en règle et s'élança joyeusement dans le grand escalier couvert de neige menant en bas de la Butte Montmartre. Son pied dérapa sur une marche gelée, et elle dévala les marches sur le derrière. Elle se releva en riant, fila par la rue des Trois-Frères et arriva, essoufflée, place des Abbesses, d'où s'élevaient les clameurs du marché :

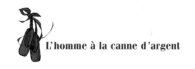

– Qui veut mes choux, mes beaux choux ?

– Poisson frais, poisson frais !

– Œufs de ferme, pondus du jour !

– Achetez mes beignets, les meilleurs de Montmartre... !

Un lapin blanc, les oreilles dressées, observait une femme à l'épais chignon roux, qui s'était approchée de sa cage.

– Combien pour ce lapin ? demanda la cliente.

– On vous fera un bon prix, madame Léontine, répondit le marchand. C'est le dernier !

À cet instant, Loulou surgit, haletante. Elle se jeta dans les bras de sa nourrice ; puis, la saisissant par les mains, elle la fit virevolter.

– Arrête, Loulou ! protesta Léontine en riant. Tu me donnes le tournis !

Les douze années qui s'étaient écoulées depuis qu'elle avait récupéré la petite fille avaient cerné ses yeux et alourdi sa taille.

Découvrant le lapin, Loulou sauta de joie :

– Oh, qu'il est mignon ! C'est mon cadeau ?

– On dirait bien...

Le marchand avait saisi l'animal par les oreilles :

– J'vous l'assomme ?

– Nooooon ! hurla la fillette, horrifiée.

– Ben, qu'est-ce qu'elle a, la p'tite demoiselle ? s'étonna le bonhomme. Faut pas être sensible comme ça !

– Ce n'est pas pour le faire cuire, expliqua Léontine, amusée. Du moins... pas tout de suite !

– Jamais ! décréta Loulou d'un ton sans réplique.

Une voix familière résonna derrière eux :

– Quelle détermination, ma petite Loulou !

C'était le curé, accompagné de l'instituteur et de son épouse.

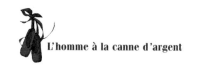

– Père Ménard ! s'exclama Loulou, joyeuse, en serrant tendrement le prêtre dans ses bras.

Lui aussi accusait les années : ses cheveux avaient pris une teinte argentée.

– Ta mine fait plaisir à voir, mon enfant, dit-il. Alors, vous faites le marché ?

– On est venues pour le lapin, expliqua Léontine. C'est un cadeau que j'ai promis à ma Loulou.

– Ah ! commenta l'instituteur, moqueur. C'est donc pour ça que tu étais si pressée de quitter la classe ! Et c'est toi qui vas nettoyer la cage ? Parce que, tu sais, les petites crottes de lapin...

Son épouse l'interrompit :

– Arrête de la taquiner, Raymond ! Invite-nous plutôt à boire quelque chose de chaud.

À l'intérieur du café Saint-Jean, il fallait jouer des coudes pour se faire une place entre les camelots, les habitués et les artistes de la Butte, aux doigts maculés de peinture.

Les serveurs zigzaguaient entre les tables, criant les commandes :

– Un vin chaud, une mousse, un Quinquina !

– Trois vins chauds, une grenadine !

– Deux cafés, une limonade !

Tous s'attablèrent autour d'une boisson chaude. Loulou, elle, n'avait d'yeux que pour son lapin.

Le père Ménard, la mine inquiète, interrogea l'instituteur :

– Croyez-vous vraiment que des entrepreneurs avides pourraient s'attaquer à notre chère Butte Montmartre ?

– J'en ai peur. Ils veulent détruire nos maisons et en construire de plus belles pour les gens des quartiers chics.

Des cris et des rires interrompirent cette grave conversation :

– Hé ! Attention !

– Ah, ah, ah ! Mais regardez-moi ça !

Le lapin s'était échappé !

Il bondissait de table en table sous les yeux des clients, que cette scène inattendue mettait en joie. Il sauta au passage dans l'assiette d'un garçon qui dînait avec son grand-père.

Le jeune consommateur, éclaboussé de soupe, ajusta sa casquette :

– Attends, toi !

Il se lança à la poursuite du coupable à fourrure blanche et finit par le coincer... non sans mal !

Il souleva l'animal par les oreilles :

– Tu as gâché mon repas, mais tu as une belle tête de civet, mon gaillard !

Il avait à peine prononcé cette phrase qu'une fille se plantait devant lui :

– Non ! Rends-le-moi !

Le grand-père contemplait les deux jeunes gens d'un air amusé.

– Il est à toi ? demanda le garçon. Eh bien, tu me dois une soupe à l'oignon, et je ne compte même pas le nettoyage de la chemise !

Les joues de Loulou s'empourprèrent :

– Je n'ai pas les moyens de te payer une soupe, mais je laverai ta chemise et quelques autres si tu veux.

– À bien y réfléchir, décréta le garçon, taquin, je préfère le garder pour mon dîner !

Et, en un tournemain, il fit disparaître l'animal dans sa casquette.

– Rends-le-moi ! s'énerva Loulou.

Le garçon secoua la casquette en riant :

– Ah, ah, ah ! Je ne l'ai plus !

Loulou lui arracha le couvre-chef des mains. Le lapin avait bel et bien disparu ! Comme sur une scène de théâtre, le garçon déclama alors :

– Mesdames et messieurs, admirez...!

D'un geste de magicien, il extirpa la petite bête d'un parapluie accroché à une chaise voisine.

Loulou, furieuse, rabattit la casquette sur la tête du garçon :

– Tiens !

Elle récupéra son lapin et le serra contre son cœur en bougonnant :

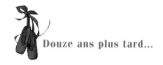

– Viens ! Rentrons !

Le grand-père pouffa derrière ses moustaches, tandis qu'elle s'éloignait, la mine offensée.

D'un bond, le jeune magicien la rattrapa :

– Et qui lavera mes chemises, alors ?

– Je tiens toujours mes promesses, même avec les malpolis, rétorqua Loulou. Dépose tes chemises chez Léontine, je te les rendrai propres et repassées.

Le garçon à la casquette ne put réprimer un sourire : cette fille avait du caractère ! Et elle était bien jolie...

3 Conspiration

Le jour se levait à peine. Pourtant, Léontine était déjà à l'ouvrage. Au moment où elle déposait sur le dossier d'une chaise une chemise fraîchement repassée, on frappa rudement à la porte.

– Qu'est-ce que c'est ?

Elle alla ouvrir. Deux gendarmes vêtus de longues redingotes grises lui faisaient face, l'air quelque peu embarrassé.

Le premier, un petit gros, se racla la gorge. Puis, roulant les « R », il se lança dans une tirade solennelle qu'il semblait réciter par cœur :

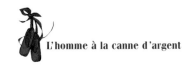

– Bonjour, dame Léontine ! Veuillez excuser notre intrusion si matinale, mais le pénible devoir qui nous encombre, heu... qui nous incombe, nous oblige à, à, à...

L'autre, un grand maigre, vint à la rescousse de son collègue. Claquant les talons, il tendit à Léontine une feuille marquée aux couleurs de la République française.

Le premier reprit :

– On nous oblige à vous remettre cette mission, euh... cette missive tout ce qu'il y a de plus officielle.

Léontine prit le rouleau de papier, perplexe :

– Oh, que ce soit officiel ou pas, c'est bien beau, mais, moi... j'sais pas lire !

Loulou, réveillée par le bruit des voix, s'approcha alors, en chemise de nuit, les yeux encore gonflés de sommeil :

– Qu'est-ce que c'est ?

– Pour venir embêter les gens à une heure pareille, bougonna la repasseuse, c'est ce que j'aimerais bien savoir !

Loulou par-
courut le docu-
ment des yeux.
Puis elle leva
vers sa nourrice
un visage cons-
terné :

– Oh, non !
Ce n'est pas pos-
sible ! On veut
nous chasser de
chez nous !

Léontine eut l'impression de recevoir un coup
de poing dans l'estomac :

– Qui ça, « on » ?

Les deux gendarmes échangèrent un regard et
haussèrent les épaules, fatalistes :

– Sûrement les promoteurs qui ont racheté la
colline de Montmartre.

– Les promoteurs ? C'est qui, ça ? fit Léontine,
interloquée.

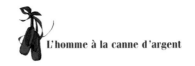

– Des gens qui veulent construire de belles maisons et s'en mettre plein les poches, expliqua le grand gendarme, fier d'étaler son savoir.

En 1860, le petit village de Passy avait été rattaché à la ville de Paris pour en devenir l'arrondissement numéro seize. La colline de Passy s'était alors couverte d'immeubles cossus. Mais, en surplomb de la rue des Eaux, subsistaient encore quelques somptueuses demeures dont la construction datait du siècle précédent.

L'une d'elles était l'hôtel particulier du baron Bertrand de Boisrobert.

D'où le baron avait-il tiré sa fortune ? Nul ne le savait. Il avait fait bâtir un nombre impressionnant d'immeubles dans ce nouveau quartier du seizième arrondissement. Puis il les avait revendus, réalisant des profits considérables. Après la colline de Passy, sa prochaine cible était… celle de Montmartre.

Le soir tombait sur la ville. Le hululement lugubre d'un hibou courut au-dessus des toits.

Dans l'élégant bureau du baron, aux meubles importés d'Angleterre, se tenait un mystérieux conciliabule. Le seul témoin en était un saint Michel terrassant le dragon, représenté sur un haut vitrail coloré.

– Mon cher baron, déclara l'homme qui lui faisait face, la première partie de notre plan est enclenchée. Les expulsions de la Butte Montmartre ont commencé ; tout se passe comme prévu.

De sa main aux ongles soignés, dont l'annulaire portait une chevalière frappée d'un cygne, le baron actionna les mécanismes en laiton d'un coffre-fort. La porte blindée pivota.

Le coffre, bourré de billets de banque et de lingots d'or, contenait aussi des armes.

Le baron s'empara d'un colt dont il fit tourner le barillet. Il déposa l'objet sur son bureau et ordonna d'une voix sèche :

– Ne laissez personne se mettre au travers de notre chemin ! Prenez aussi ce pistolet, il pourra vous être utile. Et voici pour vos services !

Il sortit du coffre une liasse de billets qu'il tendit à son interlocuteur.

Une main gantée s'en empara :

– Monsieur le baron, c'est un plaisir de travailler pour vous.

Sans un mot de plus, le baron raccompagna son visiteur, un homme à lunettes fumées, coiffé d'un chapeau haut de forme, le visage dissimulé derrière une écharpe rouge. Il s'appuyait sur une canne dont le pommeau d'argent avait la forme d'une tête de tigre.

Au café Saint-Jean, où des habitants de Montmartre s'étaient rassemblés, la révolte grondait.

– On veut nous chasser de nos maisons ! Lisez ça !

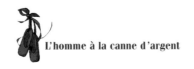

L'instituteur brandissait des papiers officiels :

– Ces avis d'expulsion ont été apportés aux habitants de la Butte. On veut s'enrichir sur notre dos !

Des voix rageuses s'élevèrent :

– Oui, battons-nous ! On ne se laissera pas faire ! Vive la République !

Le père Ménard leva les mains en un geste d'apaisement :

– Du calme, mes amis ! La violence n'arrangera rien. De toute façon, les gens qui veulent détruire Montmartre ont la force de leur côté. Organisons plutôt une grande fête place du Tertre pour faire connaître aux Parisiens les magouilles des riches !

Les paroles mesurées du prêtre rallumèrent une lueur d'espoir dans l'assemblée.

– Bravo ! approuvèrent les uns.

– Bien dit, monsieur le curé ! renchérirent les autres. Préparons une kermesse !

– Vive la kermesse !

Quelqu'un, cependant, ne partageait pas l'enthousiasme général. Dissimulé dans un coin sombre,

un sinistre individu fixait le père Ménard de son œil unique. C'était Dédé le Borgne, l'un des acolytes de l'homme à la canne d'argent.

En compagnie de deux camarades, Loulou s'appliquait à représenter au point de croix, sur une grande toile de jute, la Butte avec ses moulins.

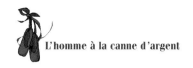

Sous la broderie, on pouvait lire : « La Butte Montmartre aux Montmartrois ! »

Son lapin sauta sur la toile, déposant une crotte ronde au passage. Elle roula sur le motif reproduisant le cabaret du « lapin à Gill ». Loulou chassa la petite bête en riant :

– Hé, va-t'en ! On ne finira jamais cette banderole, sinon !

D'un bond, le lapin sauta sur le rebord de la fenêtre, qui s'entrouvrit. Une voix amusée lança depuis la rue :

– Il est vraiment à la recherche d'une casserole, celui-là !

C'était le garçon qui avait fait son numéro de magicien au café. S'accoudant dans l'embrasure, il empoigna le lapin par les oreilles.

Loulou se précipita pour récupérer l'animal :

– Merci !

– Ben…, fit le jeune homme, un peu embarrassé, j'apporte mes chemises comme prévu.

Léontine, occupée à repasser, interrogea Loulou du regard. Celle-ci expliqua, rougissante :

– Oui, Léontine, c'est un arrangement entre ce jeune homme et moi.

La nourrice eut un sourire moqueur :

– Eh bien, monsieur, donnez-nous donc vos chemises, puisque cette demoiselle vous l'a proposé !

Le monsieur tendit son baluchon :

– Tout ça ? fit Loulou. Bon, chose promise, chose due. Au revoir !

Le garçon resta un instant immobile, ses yeux rieurs plongés dans les yeux bleus de la jeune fille.

– À bientôt ! lui lança-t-il enfin en refermant la fenêtre.

Il lui adressa un dernier signe derrière la vitre, avant de s'éloigner.

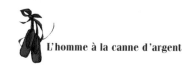

– Il a une bonne tête, ce petit gars ! fit remarquer Léontine.

– Tu trouves ? marmonna Loulou, feignant l'indifférence.

Ses deux amies, toujours penchées sur la banderole qu'elles confectionnaient, gloussèrent en échangeant un regard complice.

En cette fin d'après-midi, des voix d'enfants emplissaient l'air glacé : sur la place, devant l'école, Loulou jouait à la marelle avec ses camarades. Chacune à leur tour, les fillettes lançaient une pierre plate sur une case, puis sautaient à cloche-pied de case en case.

L'instituteur s'approcha, portant sous le bras le calicot que Loulou et ses amies avaient brodé pour la kermesse.

– Merci pour ta banderole, Loulou ! Elle nous sera très utile, dimanche ! Alors, tu rentres avec moi ?

– Je termine ma partie et j'arrive.

L'instituteur acquiesça de la tête avec indulgence :

– Ne t'attarde pas, Loulou ! La nuit va tomber.

Il se dirigea vers la rue du Mont-Cenis, sans se douter qu'un individu à la mine patibulaire l'observait, appuyé contre un réverbère.

Avec un rictus ironique, Dédé le Borgne lui emboîta le pas.

L'instituteur obliqua dans la rue Cortot, traversa la rue des Saules et s'engagea dans la rue de l'Abreuvoir. Le froid était vif. Il frissonna et remonta le col de son manteau. Dans le silence du soir, ses pas résonnaient sur les pavés. Soudain,

un détail l'alerta : un son métallique, celui que produisent des souliers ferrés... Il s'arrêta. Le bruit continua un bref instant, puis cessa. Il était suivi.

Il se retourna. Dans la lumière grise du crépuscule, il distingua des silhouettes qui rasaient les murs.

– Mais qu'est-ce qu'ils me veulent ? marmonna-t-il, inquiet.

Il pressa l'allure, puis se mit à courir.

Les inconnus s'élancèrent à ses trousses. Une voix pleine d'une gouaille menaçante l'interpella :

– On va t'apprendre à pousser les gens à la révolte, l'instit !

Il accéléra encore. Brusquement, un individu à la large carrure se dressa devant lui, lui barrant le chemin.

– On le tient ! cria un autre.

Il était pris !

Un coup violent au creux de l'estomac lui coupa le souffle. Il tomba. Son visage heurta le pavé froid. Il encaissa une grêle de coups de pied. Juste avant de perdre conscience, il perçut la voix de l'un des agresseurs :

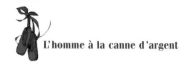

– J'entends des pas. Quelqu'un vient !
– Vite, filons d'ici !
Les hommes s'éloignèrent en hâte.

 **Conspiration**

Loulou, ayant assisté de loin à l'agression, s'était dissimulée à l'angle d'une ruelle. Elle passa prudemment la tête. Voyant que la voie était libre, elle s'avança, se pencha sur l'homme étendu par terre.

– Oh, non ! lâcha-t-elle en reconnaissant son maître.

Dans la nuit qui tombait, ses cris horrifiés retentirent dans tout le quartier :

– Au secours ! À l'aide ! L'instituteur est blessé ! Aidez-moi !

4 Le retour de l'homme à la canne d'argent

Dans la salle de classe, l'instituteur gisait sur un banc, les yeux fermés. Avec des gestes pleins de douceur, sa femme lui appliquait un linge mouillé sur les tempes.

– Mon pauvre Raymond ! murmura-t-elle en essuyant ses larmes.

– Ton pauvre Raymond a vu trente-six chandelles ! parvint à ironiser le blessé.

Loulou, assise sur une chaise, restait muette, encore sous le choc. Le père Ménard entra et se précipita au chevet de l'instituteur.

– On m'a prévenu ; je suis venu aussi vite que j'ai pu. Dites donc, ils ne vous ont pas raté, mon vieux !

– Sans l'arrivée de Loulou, je ne sais pas ce qui se serait passé !

Le père Ménard se pencha et posa une main réconfortante sur celle du blessé :

– Vous pourriez nous décrire vos agresseurs ?

L'instituteur se concentra, essayant de se remémorer l'événement.

– La seule chose dont je me souvienne, c'est... c'est une canne avec un pommeau en argent... représentant une tête de tigre.

– Quoi ?

Le père Ménard blêmit. Comme pour lui-même, il lâcha :

– Oh, mon Dieu !

Puis, se reprenant, il déclara :

– Viens, Loulou, je vais te raccompagner chez toi. Tu ne peux pas rentrer seule, c'est trop dangereux. Viens !

Il saisit la fillette par la main et l'entraîna hors de la salle.

Le jour montait lentement derrière les carreaux. Bien bordée entre des draps blancs, Loulou dormait d'un profond sommeil. À son chevet, le père Ménard piquait du nez, assis sur une chaise. Il avait veillé toute la nuit sur cette enfant qu'une

inconnue lui avait mise dans les bras, douze ans auparavant.

Tout à coup, il sursauta et ouvrit les yeux. Son regard affolé fit le tour de la pièce, passa sur les objets familiers – le fourneau, la table, les ustensiles de cuisine –, avant de revenir à la fillette endormie. À ce visage paisible se superposa dans sa mémoire celui, menaçant, de l'individu à l'écharpe rouge.

– C'est l'homme qui en avait après la mère de Loulou..., murmura-t-il.

Il revit la jeune femme traquée, lui tendant le nouveau-né : « Je n'ai personne à qui la confier. Prenez-la sous votre protection ! »

– Ah ! gémit-il.

Il se leva péniblement. Après une nuit passée sur cette chaise, ses vieilles articulations étaient ankylosées.

– Il faut que je trouve un moyen de mettre Loulou en sécurité, décida-t-il.

Son angoisse accentuée par la chaleur de la pièce, il étouffait. Il se dirigea vers la fenêtre, l'ouvrit en grand et respira avec soulagement l'air glacé du dehors.

Un vent frisquet soufflait sur la place du Tertre, mais le soleil était au rendez-vous pour la fête.

Un manège tournait aux accents éraillés d'un orgue de Barbarie. Loulou, à califourchon sur un cheval de bois, enfilait adroitement des anneaux dans une baguette.

– La demoiselle a encore gagné un tour gratuit ! la félicita le propriétaire du manège, lorsque celui-ci s'arrêta.

Brandissant sa baguette, Loulou demanda à Léontine :

– Dis, je peux encore ?

– Bien sûr, ma Loulou, vas-y ! l'encouragea la nourrice, attendrie par la joie de la fillette.

Le manège repartit.

– Yahooooo ! lança Loulou en attrapant un nouvel anneau.

À cet instant, elle remarqua un personnage étrange, au visage dissimulé derrière une écharpe rouge. Il lui sembla sentir sur elle, malgré les

verres fumés des lunettes, son regard inquisiteur. Troublée, elle manqua l'anneau suivant.

– Ben alors ! Tu as perdu la forme, ma petite ? s'étonna l'homme du manège.

Loulou ne répondit pas. Elle avait sauté à terre et cherchait des yeux, dans la foule, le mystérieux inconnu.

– Pourquoi il m'a regardée comme ça, ce bonhomme ? maugréa-t-elle. Il m'a fichu la frousse...

Soudain, une main se referma sur son bras :

– Mademoiselle ?

Loulou se retourna d'un bloc, effrayée :

– Hein ?

C'était le garçon à la casquette.

– Je suis content de vous revoir, dit-il. Mais... Avec un clin d'œil, il ajouta :

– ... vous êtes en retard au rendez-vous.

Loulou leva des sourcils étonnés :

– On avait rendez-vous, nous deux ?

Il eut un petit mouvement d'épaule, mi-charmeur, mi-timide :

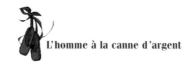

– Pas vraiment, mais… j'aurais aimé !

Leurs regards se rencontrèrent, tandis que, derrière eux, l'orgue de Barbarie poursuivait sa mélodie entraînante. Se reprenant, Loulou demanda :

– Qu'est-ce que tu fais par ici ?

– Tu vas voir, fit-il en l'entraînant par la main. Suis-moi, tu ne vas pas le regretter !

Il conduisit Loulou jusqu'à un chapiteau, dressé dans un coin de la place. Écartant les pans de toile, il l'invita à entrer.

Dans l'obscurité, on devinait des rangées de sièges alignés face à une estrade.

Le garçon s'inclina galamment et, d'un geste du bras, désigna une chaise :

– Mademoiselle, prenez place !

Il se dirigea vers l'estrade et tira devant la scène un drap blanc faisant office d'écran. Sa silhouette se dessina dessus par transparence.

– Qu'est-ce que c'est ? s'étonna Loulou.

Relevant le drap de la main, il réapparut :

– Un théâtre d'ombres ! Tout à l'heure, avec mon grand-père, on va donner une représentation.

– C'est amusant ?

– Tu vas adorer ! Tu m'as inspiré mon histoire.

À ces mots, la jeune fille rougit, aussi charmée qu'embarrassée.

– Assieds-toi ! ordonna gaiement le jeune artiste. Tu es ma première spectatrice.

Loulou obéit. Tout en arrangeant les plis de sa jupe, elle fixa le rideau des yeux, pleine de curiosité.

Dehors, l'orgue de Barbarie jouait toujours sa tendre et nostalgique ritournelle

Le père Ménard arpentait la place du Tertre. La fête était un succès ! Il se réjouissait de voir autant de gens s'intéresser au sort des habitants de la Butte. Soudain, le prêtre sursauta : il venait de reconnaître, au milieu des promeneurs, l'homme à la canne d'argent.

– Seigneur ! souffla-t-il.

Il s'éloigna en hâte, espérant ne pas avoir été repéré. Hélas, le sinistre individu lui avait emboîté le pas.

Le chapiteau était comble. Des spectateurs se tenaient debout, d'autres s'étaient assis par terre. Installée au premier rang, les yeux rivés sur l'écran blanc, Loulou ne perdait pas une miette de la représentation.

Derrière le drap se profila une ombre munie de deux grandes oreilles : un lapin !

– Bouh, hou, hou, pleurnichait-il. J'ai perdu ma maîtresse !

La silhouette d'un gar-  çon coiffé d'une casquette se pencha vers l'animal :

– Et à quoi elle res- semble, cette petite jeune fille ?

– Elle est très jolie, et c'est grâce à elle que je n'ai pas été transformé en rôti ! Maîtresse ! Maî- tresse !

Une troisième ombre surgit alors, coiffée d'une toque de cuisinier et brandissant une longue cuillère de bois. D'une voix éraillée, il déclara :

– Ah, ah ! Où est-il, ce lapin ? J'ai préparé ma sauce à la moutarde, il ne manque plus que lui.

S'adressant à l'assistance, il demanda :

– Vous avez vu le lapin, les enfants ?

Tous les jeunes spectateurs s'égosillèrent :

– Nooooon ! On l'a pas vu ! Il est parti ! Il n'est pas là !

Mais voilà que deux longues oreilles pointaient de nouveau sur l'écran. Le cuisinier les empoigna d'un geste vif. Un cri d'effroi s'éleva sous le chapiteau :

– Ohhhhhh !

– Je te tiens, mon civet ! s'exclama le cuisinier, sa cuillère brandie.

– Pitié, pitié, monsieur le cuisinier ! suppliait le malheureux lapin en agitant les pattes. Je déteste la moutarde !

Les jeunes spectateurs étaient déchaînés :

– Non ! Laisse-le ! Laisse le lapin ! Méchant ! Méchant !

Par chance, le garçon à la casquette réapparut. Il bondit sur le cuisinier, lui arracha sa grande cuillère et sa toque. Le lapin en profita pour se défendre d'un bon coup de dents.

– Aïe ! gémit le cuisinier. Mais c'est qu'il mord !

Et il lâcha l'animal.

– Bravo ! Bien fait ! hurlèrent les enfants, sur-excités.

Grands et petits tapaient des mains en riant.

Au fond, le père Ménard applaudissait aussi, d'un geste mécanique, un pli d'angoisse barrant son front. La vision de l'individu aux lunettes fumées, surgi du passé, l'avait profondément perturbé.

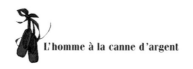

Le prêtre quitta le chapiteau d'un pas lent. Il s'arrêta un instant sur le seuil et passa une main tremblante sur son visage. Son col le serrait ; il avait la gorge desséchée. Il se dirigea vers une buvette et commanda une citronnade.

Le chapiteau se vidait. Loulou se levait à son tour quand le jeune artiste la rejoignit. Il l'obligea à se rasseoir :

– Restez encore un peu, mademoiselle !

Se penchant vers elle, il lui demanda :

– Alors, ça t'a plu ?

Taquine, Loulou l'interrogea :

– C'est vrai que la maî-tresse du lapin est jolie ?

– Oh, elle est très jolie ! De plus, elle a des yeux d'un bleu profond comme la mer. Gabriel Fiorelli, se présenta le garçon. Appelle-moi Gaby.

Ils sortirent côte à côte.

– Moi, on m'appelle Loulou.

– Loulou tout court ?

– Je n'ai pas de nom de famille.

– Alors, tu ne connais pas ton père et ta mère ?

Loulou baissa la tête. Dessinant du bout du pied dans la poussière pour cacher son embarras, elle avoua :

– Je n'ai jamais connu ni mon père ni ma mère.

Gaby la contempla un instant avant de lancer en souriant :

– Voilà une chose qu'on a en commun.

– Ah oui ? s'écria Loulou, surprise et ragaillardie par cette coïncidence.

Alors que le père Ménard portait le verre de citronnade à ses lèvres, une main se posa sur son épaule. Le prêtre tressaillit et se retourna.

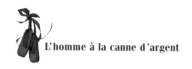
Son regard s'arrêta sur le pommeau d'une canne représentant une tête de tigre.

– Ah ! lâcha-t-il.

L'homme était derrière lui, le visage à demi dissimulé derrière son écharpe rouge, tel qu'il lui était apparu dans son église douze ans plus tôt, par un triste soir d'hiver. D'effroi, le prêtre laissa échapper son verre, qui se brisa sur les pavés.

– Excusez-moi, je vous ai fait peur.

– Non, pas du tout...

L'homme le dévisageait à travers ses verres fumés. D'une voix doucereuse, il déclara :

– J'ai l'impression qu'on se connaît.

– Je ne crois pas, mentit le vieux prêtre. J'ai une bonne mémoire des visages.

– Moi aussi. Mais, j'ai dû faire une erreur. Je suis vraiment désolé. Voulez-vous que je vous offre une autre citronnade ?

– Non, merci ! Je dois y aller.

Le père Ménard s'éloigna rapidement.

L'homme à la canne d'argent le regarda partir sans bouger.

– C'est bizarre, fit-il, sardonique. Mais moi, je suis sûr que je te connais, curé...

5 Une pénible décision

Le pensionnat des Batignolles, situé dans le XVIIe arrondissement, était une immense bâtisse recouverte d'un crépi beige. Quelques platanes dans la cour donnaient un peu de vie à ce lugubre bâtiment, fermé par de hautes grilles en fer forgé.

Dès le lendemain de sa rencontre avec l'homme à la canne, le père Ménard avait demandé un rendez-vous à Mlle Trochu, la directrice de l'établissement. Il était à présent assis devant le bureau d'une forte femme aux cheveux gris et à l'air

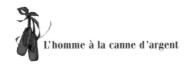

revêche. Au mur, une horloge tarabiscotée marquait les heures, tandis qu'un immense Christ en croix semblait surveiller la pièce.

– Je ne suis pas du tout certaine, père Ménard, disait Mlle Trochu d'un ton hautain, de pouvoir accepter cette orpheline. Nous ne prenons jamais les élèves qui ont commencé par l'école communale. Leur niveau est par trop insuffisant ; sans parler de leurs manières, très souvent déplaisantes.

Sans se laisser troubler, le prêtre déclara avec déférence :

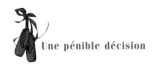

– Voyez-vous, madame la directrice, j'aimerais que cette enfant ait une éducation digne de ce nom. Et seul votre établissement est à même de répondre à une telle attente.

Flattée, l'imposante personne dissimula son contentement derrière une grimace toute professionnelle :

– Mais, monsieur le curé, que vont dire les parents des autres enfants de mon école ?

Le père Ménard prit sa mine la plus innocente :

– L'évêque, qui est mon meilleur ami, verrait d'un bon œil l'admission d'une enfant trouvée dans votre pensionnat.

C'était un argument imparable !

– Une enfant trouvée ! s'exclama la directrice en joignant les mains d'un geste de fausse compassion. Mon Dieu, comme c'est triste !

Elle se leva, signifiant ainsi que l'entrevue était terminée, et conclut :

– Eh bien, monsieur le curé, amenez-la dimanche soir !

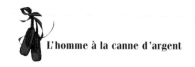

Tout en raccompagnant le prêtre, elle ajouta, obséquieuse :

– Et surtout, transmettez mes respects à monseigneur l'évêque !

– Je n'y manquerai pas, lui assura le père Ménard.

Il avait habilement obtenu ce qu'il désirait : derrière les murs du pensionnat, Loulou serait en sécurité !

– Pourquoi ? protesta Loulou.

La fillette n'y comprenait rien : on voulait l'envoyer dans un pensionnat ! Pourquoi ? Mais pourquoi ?

– Il est temps que tu reçoives une véritable instruction, prétendit le père Ménard.

– Les cours de M. Raymond ne suffisent pas ?

– Je veux que tu deviennes quelqu'un.

Loulou se redressa, furieuse :

– Et tout à coup, à cause de ça, je dois aller dans un horrible pensionnat ?

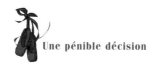

Pourquoi voulait-on l'arracher à ceux qu'elle aimait, à cette Butte Montmartre qui l'avait vue grandir ? C'était si inattendu ! Si... bizarre !

Se tournant vers Léontine, elle l'apostropha vertement :

– Dis quelque chose, toi !

Léontine ravala son chagrin. Elle aussi connaissait l'existence de l'homme à la canne d'argent, elle aussi pensait avant tout à protéger cette enfant qu'elle chérissait comme si elle avait été la sienne.

– Ma petite Loulou, fit-elle en la prenant par l'épaule, je crois que le père Ménard a raison.

Loulou s'assit devant la table et s'effondra en larmes. Puis, redressant la tête, elle lança à travers ses san-glots :

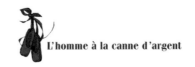

– Si tu étais ma vraie maman, tu ne me laisserais pas partir comme ça !

Léontine baissa la tête. Elle aussi, elle allait terriblement souffrir de cette séparation.

Le père Ménard intervint :

– Loulou, tu es injuste avec Léontine ! Si ta maman était là, je suis sûr qu'elle serait d'accord.

– Qu'en savez-vous ? Personne ne la connaît.

Ce fut au tour du père Ménard de détourner les yeux. Ne sachant qu'ajouter, il dit seulement :

– Prépare ta valise, Loulou. Je viendrai te chercher dimanche.

Le soir venu, Loulou repassait. De grosses larmes roulaient le long de ses joues et s'écrasaient sur l'étoffe, séchant aussitôt au passage du fer.

Soudain, on frappa à la porte. Elle alla ouvrir et découvrit Gaby, tout sourires :

– Bonjour ! Je viens chercher mes chemises.

– Ça tombe bien, répondit Loulou d'une voix éteinte. Je viens juste de finir de les repasser.

Étonné par la tristesse de son amie, il s'approcha :

– Ben... Pourquoi tu pleures ?

Comme elle restait muette, il lui saisit le menton pour l'obliger à le regarder.

– Qu'est-ce qui t'arrive ? demanda-t-il en essuyant ses larmes d'un doigt délicat. Quelqu'un t'a fait de la peine ?

Loulou détourna le regard :

– Non.

– Alors, dis-moi ce qui se passe !

– Eh bien... je vais en pension.

– Loin d'ici ?

– Aux Batignolles.

– Mais, c'est tout à côté, ça ! s'écria le garçon, rassuré. Ne fais pas cette tête ! On se verra le dimanche. Ce ne sera pas si terrible, ne t'inquiète pas !

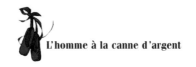

Loulou esquissa un pâle sourire :

– Tu crois ?

Elle alla chercher la corbeille où dormait son lapin et l'apporta à Gaby :

– Tiens ! J'aimerais que tu veilles sur lui.

– C'est d'accord.

Caressant les oreilles soyeuses de son petit compagnon, elle ajouta :

– Tu me promets de ne pas le manger, même si tu as faim !

– S'il le fallait, c'est moi qui lui donnerais mon repas, lui assura le garçon.

Ils se regardèrent un bref instant, puis Gaby lança :

– Au revoir, Loulou ! À très bientôt, j'espère.

Alors qu'il s'en allait, tenant contre lui le panier du lapin, la fillette le rappela :

– N'oublie pas tes chemises !

Ce dimanche-là, un fiacre s'arrêta à grand bruit devant le pensionnat des Batignolles. Le père

Ménard en sortit, portant la valise de sa protégée :

– On est arrivés, c'est ici, dit-il en aidant Loulou à descendre.

Elle le suivit, la tête basse.

Le cocher fit claquer son fouet et il encouragea ses chevaux de la voix :

– Allez !

Pour Loulou, le martèlement des sabots, qui s'éloignait, sonnait comme un adieu. Tandis qu'ils s'approchaient de la grille, le prêtre lui murmura :

– Un jour, tu comprendras.

Il actionna la cloche. Un vieux gardien sortit de sa loge et s'avança vers eux en toussant :

– Voilà, voilà ! J'arrive !

Il les fit entrer dans la cour. Le lourd portail claqua bruyamment.

La directrice les attendait en haut du perron.

– Alors, père Ménard, fit-elle, voici cette petite ! Bienvenue, mon enfant !

Loulou leva les yeux vers la femme, dont l'air sévère démentait l'amabilité des propos. Saisissant sa valise, elle gravit les marches, se retourna une dernière fois. Le prêtre lui adressa un signe de tête encourageant.

Alors, résignée, Loulou pénétra dans le sombre établissement. Et la porte se referma derrière elle.

Quel sort attend Loulou derrière les murs austères du pensionnat des Batignolles ?

Tu le sauras en lisant la suite des aventures de :

Loulou
de Montmartre

2 • Le pensionnat

Achevé d'imprimer en avril 2012 par Pollina S.A.
85400 LUÇON - N° Impression : L60688
Imprimé en France

THE AU**
SEVEN

Jonathan Wood

The R was the first factory saloon and was available between 1926 and 1928. From the outset Austin stressed the appeal of the Seven to the lady driver, as this charming contemporary illustration shows. (Bryan Purves Collection)

Shire Publications Ltd

CONTENTS

Cover: *The Science Museum's pre-production Austin Seven Tourer (XL3) of 1922. The oldest Austin Seven in existence, it was restored in 1996-7 with the assistance of the Austin Seven Clubs' Association and is now resplendent in its original green livery. (Science and Society Picture Library)*

ACKNOWLEDGEMENTS

I much appreciate the help provided by Howard Annett, Phil Baildon and Bob Olive of the Austin Seven Clubs' Association. My thanks to Bryan Purves for the supply of many photographs. I am also grateful to Neil Carr-Jones of the 750 Motor Club; the photograph of its National Rally on page 14 is by Graham Hannant. Above all, I owe a great debt of gratitude to the late Stanley Edge, who in 1977 explained to me with formidable perception and good humour his role in the design of the Austin Seven.

British Library Cataloguing in Publication Data: Wood, Jonathan. The Austin Seven. – (Shire album; 343). 1. Austin Seven automobile – History. I. Title. 629.2'222. ISBN 0 7478 0416 8.

Editorial Consultant: Michael E. Ware, Director of the National Motor Museum, Beaulieu.

Published in 1999 by Shire Publications Ltd, Cromwell House, Church Street, Princes Risborough, Buckinghamshire HP27 9AA, UK. (Website: www.shirebooks.co.uk)
Copyright © 1999 by Jonathan Wood. First published 1999. Shire Album 343. ISBN 0 7478 0416 8.
Jonathan Wood is hereby identified as the author of this work in accordance with Section 77 of the Copyright, Designs and Patents Act 1988.
All rights reserved. No part of this publication may be reproduced or transmitted in any form or by any means, electronic or mechanical, including photocopy, recording, or any information storage and retrieval system, without permission in writing from the publishers.
Printed in Great Britain by CIT Printing Services Ltd, Press Buildings, Merlins Bridge, Haverfordwest, Pembrokeshire SA61 1XF.

Herbert Austin at the age of forty in 1917, the year of his knighthood. In 1921 he conceived the idea of a small car that emerged as the Austin Seven the following year.

SMALL IS BEAUTIFUL

As the most enduring British car of the inter-war years, the Austin Seven introduced thousands of families to the pleasures of motoring. Cheap to buy and run, this rugged little car, built between 1922 and 1939, has survived in larger numbers than any other pre-war British model, with some seven thousand extant worldwide. It has since been run, restored and raced by generations of enthusiasts, who underpin the unique place held in the nation's affections by Herbert Austin's remarkable large car in miniature.

Paradoxically, the Seven was an unplanned baby, an innovative design conceived in an unorthodox manner by one of Britain's leading car makers. In 1921 Sir Herbert Austin (1866-1941), who had been producing cars since 1906 at Longbridge, his factory to the south-west of Birmingham, was in deep financial trouble. He had dispensed with his pre-war multi-model approach in order to mass-produce a single car, the expensive (prices began at £695) and massive Twenty. Inspired by Henry Ford's Model T, this was a car that was as unsuitable for the British market as the Seven would be perfectly tailored for it. In what proved to be the depression year of 1921, sales of the costly 3.6 litre Austin slumped disastrously on the collapse of a short-lived post-war boom. Output fell from an all-time peak of 4319 Twenties built in the previous year to a mere 2246, and Austin's troubles were compounded

3

by the introduction in January 1921 of the so-called Horsepower Tax. This legislation was to play an important role in the Seven's creation and meant that the cost of a car's annual Road Fund Licence would be geared to the RAC rating of its engine, instead of being based on its cubic capacity or weight. The duty was levied at £1 per RAC horsepower, which is not to be confused with the power developed by an engine. This formula was based on the unit's bore and initiated by the government to penalise big-bored American imports. The duty severely damaged sales of the Manchester-assembled Model T Ford, then Britain's best-selling car. With its engine rated at 22 horsepower, a T's owner would thus have to pay £22 a year from 1921, as would the custodian of an Austin Twenty, Herbert Austin having copied the Ford's 95 mm bore. But he quickly responded to this new legislation by scaling down the design and introducing, late in 1921, the supplementary and cheaper 1.7 litre Twelve, which would cost its owner just £12 per annum to tax.

It is therefore not surprising that, throughout the inter-war years, British manufacturers highlighted the RAC rating of their cars' engines to underline a potential owner's annual outlay. Those who opted for an Austin Seven, which was rated at 7.8 hp, would pay £8.

If it had been left to Sir Herbert's co-directors, the baby Austin would never have been built. Such was the parlous state of the company's finances that in April 1921 a receiver was appointed, and he remained at Longbridge until July of the following year. In August 1921 Austin tried to get board approval for the design of a '6 hp cyclecar', but his colleagues decided that this was not the time to embark on such a risky initiative and, in the following month, effectively vetoed the concept.

Despite this rebuff, the dogged and brusque Sir Herbert decided to press ahead with the project, and he even entertained thoughts of selling the resulting design to the Wolseley Sheep Shearing Machine Company, of which he was still chairman. (He had joined that firm in 1893 and later managed Wolseley's car interests before setting up in business on his own account.)

The 'cyclecar' project would therefore have to be financed out of his own pocket. But he also needed the help of a draughtsman to transfer his freehand pencil sketches into full engineering drawings.

Austin's 100 acre (40 hectare) Longbridge factory near Birmingham in the early 1930s. The Austin Seven was produced there. The South Works, located to the right of the railway line, was used for car assembly; engines were produced in the North Works to its left, and bodies were manufactured at the West Works in the left foreground.

4

Stanley Edge, who as an eighteen-year-old was responsible for the Seven's four-cylinder engine, reminisces during a conversation with the present author in 1977.

In August 1921 he had recruited young Stanley Howard Edge (1903-90) from the Longbridge drawing office. Edge had just celebrated his eighteenth birthday, and Sir Herbert had got to know him because he arrived at work at 8 am, an hour before his colleagues, and the Austin chairman was the only other individual present at that hour. Young Edge, a keen motorcyclist, and well versed in automobile design both in Britain and continental Europe, was more than a mere interpreter of his master's thoughts. He was destined to play a crucial role in the Seven's creation, namely the initiation and design of the small four-cylinder engine that lay at the heart of its appeal.

The Seven was created over an eight-month period between September 1921 and Easter (16th April) 1922 at Sir Herbert Austin's home, Lickey Grange, near Bromsgrove, Worcestershire, about $2^1/2$ miles (4 km) to the south-west of his factory. When Edge arrived at the house, Austin showed him 'a few full-sized drawings made in a semi-freehand style. Sir Herbert must have prepared these himself, probably on the billiard table, which was large enough for a full-size drawing of a small car!' This was probably the origin of the legend that the Seven was designed on a billiard table, but Edge worked on a conventional drawing board and T-square.

Austin's original idea was that his '6 hp' car would be powered by a cheap but air-cooled rough-running two-cylinder engine in the manner of Rover's then current 8 hp model. In due course, because of Edge's straight talking and, above all, his informed approach to design, the young Black Countryman got the Austin chairman to change his mind. As he later recalled: 'If I was responsible for anything, I was responsible for sticking to the view that a small four-cylinder water-cooled

5

Lickey Grange near Bromsgrove, Worcestershire, Herbert Austin's home from 1910 until his death in 1941. This is the back of the house. It was here that the Seven was designed. The building survives and has been converted into flats.

A sketch by Herbert Austin of the Seven's chassis. The A-frame and transverse leaf-spring front suspension are readily apparent although it has half-elliptic rear springs instead of the quarter-elliptics eventually adopted. Note the uneven pencil lines: Austin often jotted down ideas whilst in a train or in his chauffeur-driven car.

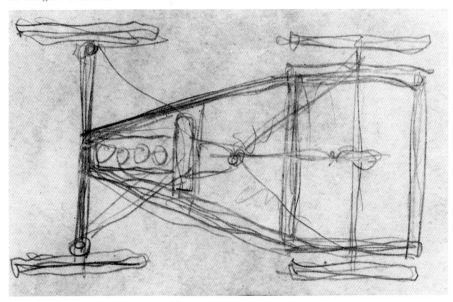

6

In overall terms Edge was inspired by Peugeot's Quadrilette of 1920. Powered by a small 668 cc four-cylinder engine, its transverse-leaf front and quarter-elliptic rear suspension were also shared with the Seven although the French car's tandem seating was not.

engine could be made as cheaply as any engine having less cylinders.' At this time there were no British cars powered by four-cylinder engines of less than one litre capacity, but in France such models had been commonplace since pre-war days, and the car that inspired Stanley Edge was the 668 cc Peugeot Quadrilette, introduced in 1920.

With the design work nearing completion, on 5th April 1922 the Longbridge board was won over and sanctioned the expenditure of £1500 for the construction of three experimental cars. Their actual cost was £1672 19s (£1672.95)! Sir Herbert unveiled the car to the press at a reception at Claridge's Hotel in London on 21st July, when he told his audience that the Seven was intended as 'a decent car for a man who, at present, can only afford a motorcycle and sidecar, and yet has an ambition to become a motorist'.

Austin clearly recognised the potential of the model, which was proclaimed as 'the motor for the million'. It was, declared the firm in 1922, 'An ideal car for the "Commercial" [traveller]', and, progressively, they marketed it as 'a "dinky" car for women's own use'.

Despite this corporate optimism, few could have guessed in the Seven's introductory year that not only was the car destined to be the saviour of the Austin company, but also that it would prove to be one of the greatest of British automobile designs.

Whatever the future held, Sir Herbert cannily got the agreement of his co-directors that he would receive a royalty of two guineas (£2.10) on every Seven built.

7

THE VINTAGE YEARS 1922-9

The Austin Seven was a small two-door tourer able to carry two adults and 'two or three children' in the rear although a note of austerity was provided by its painted rather than plated radiator shell. With a wheelbase of just 6 feet 3 inches (1905 mm), it resembled a scaled-down version of Austin's new Twelve, but closer examination revealed a very different, cost-conscious mechanical specification.

At the heart of the car was the tiny 55 by 75 mm 696 cc four-cylinder sidevalve engine rated at 7.2 hp, and accordingly it was named the Austin Seven. Outwardly

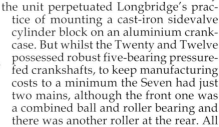

the unit perpetuated Longbridge's practice of mounting a cast-iron sidevalve cylinder block on an aluminium crankcase. But whilst the Twenty and Twelve possessed robust five-bearing pressure-fed crankshafts, to keep manufacturing costs to a minimum the Seven had just two mains, although the front one was a combined ball and roller bearing and there was another roller at the rear. All

Left: The design of the Seven's engine followed Austin's familiar practice of mounting a cast-iron sidevalve cylinder block on an aluminium crankcase, a configuration that applied throughout the model's sixteen-year manufacturing life.

Below: The bottom end of the Seven's engine. Although the two-bearing crankshaft was splash-lubricated, the camshaft relied on a conventional pressurised system.

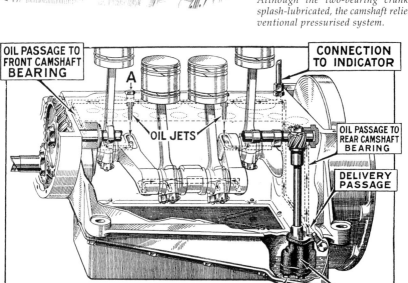

OIL PASSAGE TO FRONT CAMSHAFT BEARING

CONNECTION TO INDICATOR

A

OIL JETS

OIL PASSAGE TO REAR CAMSHAFT BEARING

DELIVERY PASSAGE

OIL INLET

PUMP

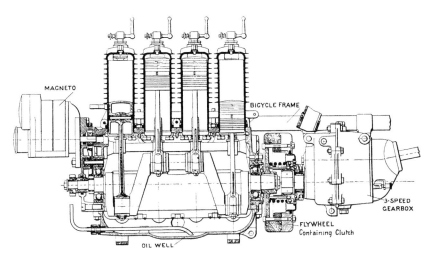

The 7 hp FN motorcycle engine that provided Edge with inspiration for the lower half of the Seven's power unit. This 52 by 88 mm 748 cc T-head four was introduced in 1914 and reappeared in 1919. The crankcase was aluminium, and Seven owners will recognise the splash-lubricated two-roller-bearing crankshaft.

were economically lubricated by the oil mist present in the crankcase. However, the camshaft bearings were pressure-fed whilst the big ends relied on splash directed by two crankcase-mounted jets into troughs in the crank webs.

For the bottom half of the engine, Edge was inspired by the diminutive in-line four-cylinder air-cooled 748 cc unit that powered Paul Kelecom's shaft-driven Belgian FN Type A motorcycle. But, unlike this 'car on two wheels', the Seven's power unit was water-cooled.

Fuel was supplied by gravity from a scuttle-mounted 4 gallon (18 litre) petrol tank, and starting was briefly and optionally effected by a pull-type hand device similar to that now used on lawnmowers. But an electric starter, actuated by a floor-

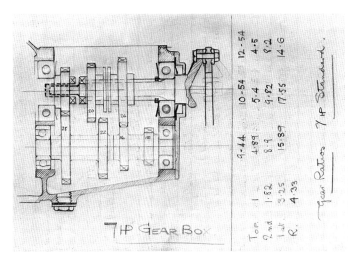

A page from Stanley Edge's notebook showing the Seven's three-speed gearbox, which was mounted in unit with the engine. The ratios were changed when the engine's capacity was increased to 747 cc.

9

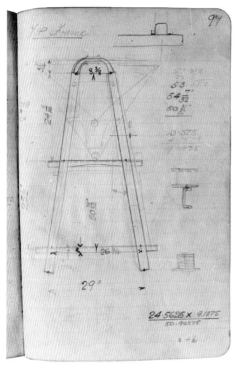

A drawing by Edge of the Seven's A-frame chassis. The emphasis was on simplicity, economy and thus ease of manufacture, all key characteristics of the model.

mounted switch, was soon standardised for the 1924 season. Similarly, there was no speedometer; one was not fitted until early in 1925.

The three-speed gearbox was in unit with the engine while the single-plate clutch required only a modicum of movement to disengage it, as anyone who has driven a Seven for the first time will testify! Power was conveyed to the rear axle via a short propeller shaft and torque tube.

Herbert Austin's A-frame chassis was a simple design with a transverse front spring and attendant triangulated radius arms in the Model T manner, and quarter-elliptic rear springs. Progressively, the Seven was equipped with four-wheel brakes: front ones were something of a rarity in 1922. Cable-operated and uncoupled, the foot pedal operated the rear brakes, and the hand brake those at the front. It was not a very efficient system.

Unlike previous Austin cars, which used artillery wheels, the Seven had

The Seven in chassis form. The 6 foot 3 inch (1905 mm) wheelbase endured from 1922 until the autumn of 1931. Note four-wheel brakes and the torque tube transmission required by the economical quarter-elliptic rear springs.

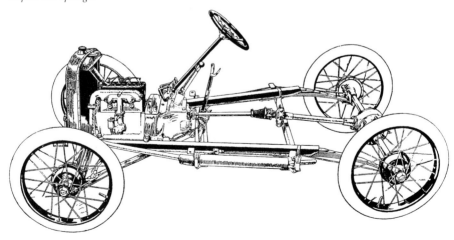

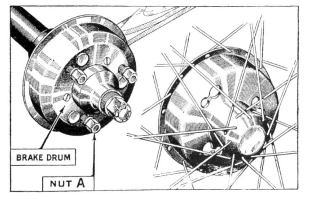

Left: *The wire wheels were located on three dowels with their attendant nuts used to secure them to the brake drums. They could thus be detached by loosening the nuts (A), rather than removing them completely. The wheel was then rotated anticlockwise until the nuts were aligned with the bigger dowel holes. It could then be removed. The arrangement was used almost throughout the Seven's life until August 1938, when just three nuts sufficed.*

BRAKE DRUM

NUT **A**

The Seven was built of robust 'Austin quality' materials. This engine was retrieved from the river Thames at Richmond and, although the aluminium crankcase had succumbed to corrosion, the camshaft was found to be in good order and is doing sterling service in another Seven.

wire-spoked ones. Initially narrow beaded-edge tyres were used though these were replaced early in 1925 by well-base covers.

Despite these sometimes crude features, the Seven was made, in the best Longbridge traditions, of 'Austin quality' materials, which resulted in a deceptively robust little car. It was also cheap to run, and the company claimed, a little optimistically, that the 7 cwt (355 kg) Seven could return 50 miles per gallon (5.65 litres/100 km) and a 52 mph (83 km/h) top speed.

The days of the two-cylinder air-cooled car, exemplified by the Rover 8 hp, were clearly numbered.

The three experimental cars, XL1, 2 and 3, were completed between May and July 1922; production proper began in July, and by the end of the year a total of 178 Sevens had been built. They did not, however, go on sale until the beginning of 1923.

When about a hundred cars had been completed, the engine capacity was modestly increased, from 696 to 747 cc. This was achieved by increasing the bore size from 54 to 56 mm, and the resulting cubic capacity of 747 cc was to endure for the car's manufacturing life. The change also had the effect of increasing the RAC rating to 7.8 hp, so the Austin Seven technically became an 'Eight', although the original name was retained.

11

A Seven as road-tested in 1923 by 'The Autocar' on a country lane near Compton Wynyates, Warwickshire. The AB's distinctive stepped scuttle survived until 1924.

As announced, the Seven cost £225, but in March 1923 the price was reduced by a substantial £60 to a more competitive £165.

In 1924 production was double the previous year's figure: 4800 Sevens left Longbridge, compared with 2409 manufactured in 1923. This made it the most popular Austin, although in 1925 it was overhauled by the solid and dependable Twelve. However, with the introduction of a saloon version, the baby car moved decisively ahead in 1926 and for the nine years until 1935 it dominated the company's model line.

From the Seven's introduction in 1922 until 1926 there was only one body style, initially described as a 'Tourer' but more informally known as the 'Chummy', a name that survives to this day.

Designated the AB Family Model, it lasted until mid 1924, when it was replaced by the AC series. The latter can be identified by its upright rather than sloping windscreen and an inclined trailing door line in place of the original vertical one.

The AC's replacement, the AD of early 1926, had an element of curvature introduced into the top of the

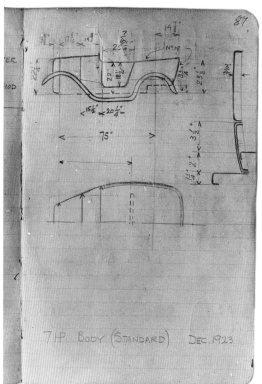

Another pencil drawing, dated December 1923, by Stanley Edge of a Seven Tourer. This is the AC version, which was the second open body to be fitted to the car, introduced in mid 1924 and used until early in 1926.

The AD tourer of 1926 was roomier than its predecessor. It had exterior door handles, so the sidescreens no longer required a flap to allow them to be opened from the inside. This is a 1927 example. (Bryan Purves Collection)

scuttle, and this was mirrored in the lower windscreen glass. Destined to be the most popular Seven body of the 1920s, it was enhanced by the arrival in August 1928 of a nickel-plated radiator shell, which was produced until the summer of 1929, when it was replaced by chrome.

The first factory-built saloon, allocated an R designation, made its appearance in mid 1926. Upright and angular, it cost £169, £24 more than the Chummy, and continued until the autumn of 1928. The same year, the Seven's engine was converted to the cheaper American-style coil ignition in place of the more costly but efficient magneto, preferred in Europe.

The first Austin-approved Seven saloon had in fact appeared late in 1925 and was a fashionable fabric-bodied car built until 1928 under subcontract by Eric Cecil Gordon England, a racing driver and coachbuilder. There was also a cheaper fabric saloon, built at Longbridge for the 1927 season, that enjoyed great popularity. In 1928 and 1929 there were more 'rag'-bodied Sevens produced than metal-bodied ones, although the line was discontinued in 1930.

A Gordon England fabric-bodied Sunshine Saloon of 1928 with its distinctive roll-back roof. Note the all-important cross-bracing. This example was discovered in America, having covered a mere 3685 miles (5946 km), and then sensitively restored. (Bryan Purves Collection)

13

The RK, the so called 'wide-door' saloon, which arrived for the 1929 model year. Most had plated rather than painted radiators. This early example may date from August 1928 and, perversely, has a nickel-finished radiator and side-mounted headlamps, rather than the forward-mounted ones normal for this model. (Bryan Purves Collection)

The R was replaced for the 1929 season by the RK Series saloon. Often known, for obvious reasons, as the 'wide-door' model, it lasted until early in 1930.

Its AE touring stablemate, which appeared in the autumn of 1929, was slightly longer and wider than its AD predecessor and was produced until mid 1930.

The closed Sevens grew increasingly popular as the 1920s progressed, reflecting world trends, although the open car still predominated. But it was not until 1930 that the saloon finally overhauled the tourer.

These were the mainstream Seven bodies, but there were numerous variations on

The popular AE tourer was produced in 1929/30 with front- rather than side-mounted headlamps and scuttle-located ventilators. It is seen at the 750 Motor Club's annual National Rally at the National Motor Museum at Beaulieu.

14

The Austin Swallow Seven was the most famous of the special-bodied cars. This photograph, dating from 1929, was taken at Swallow's factory in the Foleshill district of Coventry. The Seven's chassis (foreground) was essentially unchanged, and the model was produced in touring and saloon forms (left).

the theme. The factory even produced a version to carry milk churns 'the Austin way' although vans were a much more popular and enduring line. These began in 1923 with bodywork by the Birmingham coachbuilder Thomas Startin. But in 1931 the factory took over body construction, and this Seven commercial remained a strong seller until the model ceased production in 1939.

Although the overwhelming majority of cars were bodied by the factory, as was the custom of the day Austin also sold the chassis for use by specialist coachbuilders. These activities reached a peak in 1929, when no less than 4430 were so dispatched, representing a significant 17 per cent of total output. The coachbuilders who received them included Mulliners of Birmingham, Arrow in London and the Midlands-based Jensen. The best-known of their products was the Austin Swallow Seven tourer of 1927, built by a small coachbuilding business in Blackpool run by William Lyons and William Walmsley. Soon overtaken in popularity by a curvaceous saloon version of 1928, it was far more modern in design than the factory's well-proportioned but angular coachwork. Such was the demand for the Swallow that the business moved to the motor city of Coventry in 1928 and in 1931 launched its own SS marque, which, after the Second World War, was renamed Jaguar.

All these activities were overshadowed by the world depression triggered by the 1929 Wall Street crash. The industrialised world was soon reeling from its effects, but, with the economical low-cost Seven, Austin was building precisely the right sort of car to ride out the financial storm.

The AA had a fleet of RN Series Austin Seven vans, which arrived for the 1932 season. Note the long-bonnet/short-scuttle layout introduced on the RL saloon in mid 1930. Here a patrolman rescues a lady motorist in a moribund Armstrong Siddeley.

BUSINESS IS BOOMING 1930-9

It says much for the ingenuity of the Austin Seven's design that production did not reach its peak until 1935, an extraordinary achievement for a car that by then was thirteen years old. From then on output gradually declined, and early in 1939 it ceased. By this time some 291,000 examples had been completed.

As already noted, the Seven saloons overtook the open cars in popularity in 1930, and in the summer of that year the RL series arrived. This can be instantly identified by its longer bonnet and attendant shorter scuttle, which brought the hitherto concealed petrol tank into the engine compartment. Less apparent was the use of pressed-steel body panels in place of the aluminium previously employed. Beneath the body, the brakes were at long last coupled so that they were now conventionally applied solely by the depression of the foot pedal.

The first significant change to the Seven's dimensions featured on the 1932 cars,

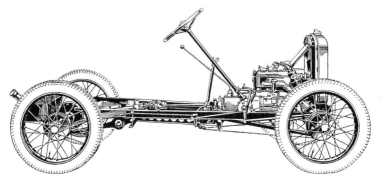

The longer (6 foot 9 inch or 2057 mm) wheelbase Seven chassis, as introduced for the 1932 model year. The four-speed gearbox and rear-mounted petrol tank followed for the 1933 season.

16

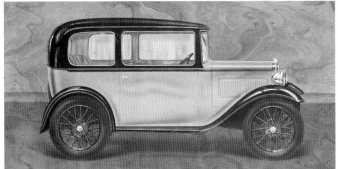

Left: *A Saloon De Luxe, as it appeared in 1933. It differed from the standard version in having two-tone paintwork, sliding roof and leather upholstery and, at £125, cost £10 more.*

Right: *The De Luxe's interior, benefiting from some artistic licence. It was not quite as spacious! Austin proudly declared that it was 'upholstered in best selected hide'.*

when their wheelbases were increased by 6 inches (152 mm) to 6 feet 9 inches (2057 mm). The resulting roomier RN type saloon body provided much needed increased legroom for the back-seat passengers. In August 1932 the petrol tank was transferred from the scuttle and placed more conventionally at the car's rear, and its capacity was increased to 5 gallons (23 litres). At about the same time a four-speed gearbox was introduced.

The outwardly similar RP body arrived for the 1933 season – the last with a chromium-plated radiator. It was replaced in August 1934 by the Ruby, which featured the most radical change in the Seven's appearance since its introduction in 1922. Not only was there a cowled and painted radiator shell, but the model's boxy lines were softened by gentler curves. For factory purposes this was designated the

YOU BUY A CAR–BUT YOU invest IN AN **AUSTIN**

The Seven Ruby Saloon, £131 at works

"The Most Economical Motoring of All"

THE AUSTIN MOTOR COMPANY LIMITED, LONGBRIDGE, BIRMINGHAM

The most radical change to the Seven's specification came in mid 1934 with the arrival of the Ruby, immediately identifiable by its cowled radiator and smaller 17 inch (430 mm) wheels. A Pytchley sliding roof was fitted as standard.

The New Ruby De Luxe of 1936 with standard sunroof. Outward differences from its Ruby predecessor included a greater rake to the windscreen and strengthened adjacent pillars. Less apparent are the winding rather than forward-hinging rear windows. This 1938 example is being judged by the author in a 'concours d'élégance' at his home village of Frensham, Surrey.

ARQ body; it was mounted on a so-called low-frame extended chassis and fitted with more fashionable 17 inch (431 mm) wheels rather than 19 inch (482 mm) ones. Its rear profile was equally distinctive on account of the hitherto exposed upright spare wheel now being modestly concealed behind a metal cover.

With over fifty thousand built over two years, the Ruby proved to be a great success and survives in larger numbers than any other Seven. It was thus responsible for a record 27,225 examples being produced in 1935.

The Ruby was followed by the ARR series, more familiarly known as the New Ruby, of mid 1936. It was outwardly similar to its predecessor, but there was a greater slope to the windscreen. Further changes were made to the familiar mechanicals. After fourteen years the 747 cc engine acquired a centre main bearing of the conventional split-shell type so it was accordingly pressure-lubricated. This allowed an increase in compression ratio, from 4.9 to 5.8:1, and engine power thus

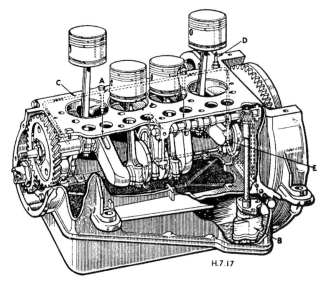

H.7.17

The New Ruby's revised engine with three-bearing crankshaft: A, oil jets; B, oil pump; C, oil ways; D, to pressure gauge; E, branch pipe to centre main bearing.

18

The ACA Pearl, the cabriolet version of the New Ruby, closely resembled its ARR saloon counterpart. It appeared in September 1936 and remained available until the end of Seven production in 1939. (Bryan Purves Collection)

rose modestly from 13 to 16.5 bhp.

For the 1938 season came the supplementary four-door Big Seven with an enlarged and unrelated 900 cc engine. However, the chassis and mechanicals were Seven-based, although with a longer, 7 foot 3^{1}/2 inch (2222 mm) wheelbase. But this attempt to bridge the gap between the Seven and the Ten did not prove a success and, like the original, it ceased production in 1939.

By this time the Seven weighed 13 cwt (660 kg), which was nearly twice the weight of the original version. The last Seven saloon was built on 17th January 1939, although it was another seven weeks before the model ceased production altogether, with the final van and chassis being completed on Friday 3rd March.

The Seven was replaced by the Eight, Austin having belatedly followed in the tracks of Ford and Morris. Powered by the 900 cc Big Seven engine, it was built during the Second World War and remained in production until 1947.

As will have been apparent, the open Sevens played second fiddle to the saloons in the 1930s. Tourers began with the AF model of mid 1930. Like its RL saloon equivalent, it had a longer bonnet and short scuttle, with steel panels replacing aluminium early in 1931. In mid 1932 came the AH model.

In 1934 Austin brought out the AAK Open Road tourer (an established Austin name), which was the first of the cowled-radiator open cars and thus the convertible version of the Ruby. It was followed by the AAL of 1935, the last of the touring Sevens, which was powered by the three-bearing crank engine from mid 1936 and continued to be listed until April 1939.

There was also a cabriolet version of the Ruby, called the Pearl, in effect a saloon with a folding roof, and this AC Series model, which appeared in 1934, was produced in limited numbers until 1935. The ACA Pearl of mid 1936 was the New Ruby cabriolet with larger side windows than the AC cars.

All these Seven convertibles were, ostensibly, able to carry four people, but there were also a number of open two-seaters. These should not be confused with the sporting Sevens, which are considered in the next chapter. The first of these convertibles appeared in 1929, followed in 1930 by the two-seater equivalent of the long bonnet/short scuttle RL saloon.

As will be recalled, the Seven's chassis was extended by 6 inches (152 mm) for 1932, and to some extent this upset the visual balance of the resulting PD open two-seater. It was produced until mid 1934, when it evolved into the Opal.

Its 1936 replacement was the revised cowled-radiatored APE with New Ruby

19

"And then the lover"

LTHOUGH the Austin Seven was designed and constructed to be an ideal utility vehicle, its engineering excellence and all-round sturdiness have enabled it to accomplish great things in the world of sport. More than a thousand victories on road and track have been secured by this tiny but big-hearted car, in addition to the records gained in uncharted places.

It must be remembered that Austin Seven successes have not been gained in a restricted field or against other small cars that have sprung up since Austin gave the lead. The Austin Seven has placed itself in the front rank in competition with all-comers of every nation.

The 1929 Ulster Tourist Trophy Race proved that Britain's tiniest car was competent to uphold British prestige against the pace-makers of the world. All Austin entries—of standard design and construction—finished a race which eliminated forty out of sixty competitors.

Austin Seven Two-seater

A " nippy " and " natty " little job with appearance in line with its performance. The wide doors give easy access to comfortable seats, and the car is both a " sporty " proposition and a thoroughly comfortable conveyance for those who wish to enjoy touring on the principle that " two's company." There is ample luggage space, and the spare wheel—included in equipment—is neatly stowed away.

The Triplex windscreen is two-piece and the hood and side curtains when erected afford maximum protection. The colour schemes are attractive and the car, complete with tools and equipment is very reasonably priced . . . .

Price at works £130

The Austin Seven Two-Seater produced in 1929 and 1930. This illustration is taken from the company's brochure, 'As you like it', issued in 1929.

Right: *This factory-bodied Two-Seater, introduced in 1930, was photographed in the 1960s. It displays the long louvred bonnet and short scuttle introduced that year; these bonnet louvres and scuttle vents followed in 1931. The top of the tail is hinged to provide access to the spare wheel and luggage compartment.*

Left: *The PD Series two-seater lacks some of the charm of its predecessor, mainly on account of its rectangular doors. This is a 1933 car and the price was £105.*

The PD's successor, the APD Opal, was introduced for the 1935 season. It retained the chrome radiator and attendant louvred bonnet at a time when the mainstream Ruby saloon featured a cowled radiator and bonnet with hinged side vents. (Bryan Purves Collection)

mechanicals and, accordingly, the three-bearing crank engine. It remained available until Seven production ceased early in 1939.

Mention should also be made of the open two-seater Seven produced from 1929 for the army. Some 150 were built up to 1931 and were used for cavalry reconnaissance and as transport for junior officers and NCOs.

This body, built to the War Department's design, had only a single elongated door

on the passenger side and was constructed by Mulliners of Birmingham. Unusually for this period, the space hitherto occupied by the rear seat was taken up by a rudimentary boot, something that the mainstream Seven never possessed. A further variation on the military theme was produced in 1932 on the lengthened 6 foot 9 inch (2057 mm) chassis.

Although the name 'Seven' disappeared from the Longbridge model line early in 1939, such was its impact that Austin's new small A30 saloon, introduced in 1951, was named the A30 Seven in tribute to its famous forbear. The suffix was not dropped until 1956.

Sir Herbert Austin was created Lord Austin in 1936. This photograph, taken in November 1938, shows him (right), aged seventy-two, with his successor, Leonard Lord. The Seven ceased production early in the following year but, under Lord's tenure at Longbridge, the Austin A30 saloon and Mini were badged Austin Seven in tribute to their famous predecessor.

The German version of the Austin Seven, the BMW 3/15 DA-2, was produced at Eisenach in 1929 and 1931. It was based on the Dixi DA-1 of 1927, BMW having taken over that company in 1928.

Similarly the Austin version of the Mini produced between 1959 and 1962 was called the Seven. This was a reflection of the fact that its creator, Alec Issigonis, 'was weaned on the Austin Seven'. Other inheritances were the floor-mounted starter button, which survived until 1964, and the Seven-inspired sliding windows, discontinued in 1968.

Since 1994 the Rover Group, which produces the Mini, has been owned by the German BMW company. By a quirk of history, BMW began producing cars in 1928 by building a mirror-image version of the Austin Seven. This was a result of BMW's takeover of the Dixi company, which since 1927 had been making a left-hand-drive version of the baby Austin under licence. BMW continued to build the car, designated the 3/15 PS (horsepower), until 1931. The final version survived another year.

Similarly the Seven was made in Paris by Lucien Rosengart from 1928, and its descendants survived until 1953, long after the original had ceased production. An American Austin version of 1930 also outlasted its progenitor and was built under the Bantam name from 1938 until 1941.

However, in Britain a derivative of the Austin Seven engine survived until 1962, no less than forty years after its introduction, under the bonnet of the glass-fibre-bodied Reliant three-wheeler. It had first used the sidevalve four in 1938, and when the Seven ceased production in the following year Reliant acquired the manufacturing rights. As in so many instances, Sir Herbert Austin's creation has cast a long shadow.

RACING AND RECORDS

The Austin Seven, 'the motor for the million', might appear to represent an unlikely basis for a sports car and an even less likely one for a racer. But its low weight and its reliable engine, which proved susceptible to tuning and supercharging, were sufficient to overcome the Seven's twin bugbears of unpredictable roadholding and questionable braking, enabling it to hold its own in competition. The Seven's competitive achievements embraced racing on road and track, record breaking and appearances in sprints and hill-climbs. They underline the extraordinary versatility of Herbert Austin's little car.

Its performance potential was recognised from the very outset when, in July 1922, the first hand-built car (XL1) was entered in the Shelsley Walsh hill-climb and placed third in its class.

The factory's racing programme was initiated by the Australian-born Captain Arthur 'Skipper' Waite MC. An advocate of the publicity value of racing, he had the advantage of being Austin's son-in-law, having married Sir Herbert's eldest daughter, Irene, in 1918. Waite began in fine style and won the cyclecar grand prix at Monza, Italy, in 1923, in the first British car to appear there.

Although Waite continued to race the Seven successfully at home and abroad throughout the 1920s, the leading exponent up to 1926 was Eric Cecil Gordon England, who, with Herbert Austin's support, had run a single-seater example at Brooklands in 1923 that lapped at over 70 mph (112 km/h) and also took a batch of 750 cc records up to 79.62 mph (128.13 km/h).

Soon after converted as a two-seater, England went on to offer, in 1924, a production version of his racing Seven, the stark Brooklands Super-Sports, with a guaranteed 75 mph (120 km/h) top speed, that was his first excursion into coachbuilding on the baby Austin's chassis. It was marketed by the factory until 1926.

England's racing successes in 1924 included a victory in the new 750 cc class in the 200 Miles Race at Brooklands and another in a race at the new Montlhéry circuit near Paris, in which the first four places were all taken by Sevens. He subsequently took twenty-one records in his Austin at the French track.

In 1925 he built the charming Cup Model, a fabric-bodied open two-seater Seven with distinctive curved tail. Produced until 1929, it was rather more popular than the factory's first special-bodied two-seater Seven, the 50 mph Sports of 1924, of

A pencil sketch of 1923 by Stanley Edge of a racing Seven clearly inspired by Gordon England's single-seater of that year.

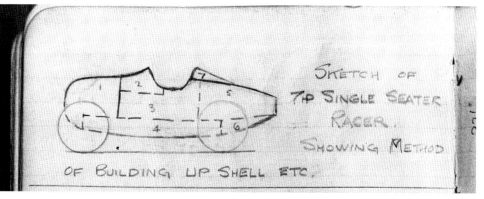

Gordon England entered his Seven in two-seater form in the 1923 200 Miles Race at Brooklands and attained 86 mph (138 km/h). It formed the basis of the factory-approved Brooklands Super-Sports. (Bryan Purves Collection)

which about three hundred were built until 1926. Fitted with a handsome open two-seater body with pointed tail, it used an unmodified chassis and engine.

Meanwhile, in 1925, Arthur Waite had produced the first of the supercharged Seven racers. His aim was to attain 100 mph (160 km/h) in Class H 750 cc records, but the goal was to prove elusive. This work nevertheless presaged the arrival, in 1927, of the E Super Sports of 1927/8, of which five were built. It was powered by a Cozette supercharged 27 bhp engine and paved the way for the most famous of the sports Sevens, what was popularly known as the Ulster of 1930.

A very original 1927 Gordon England Cup Model Seven. It was dismantled in 1935, to be discovered in 1983 and reassembled. The only departures from standard are the front wings, which have been shortened at their forward ends. (Bryan Purves Collection)

24

Austin's 1925 supercharged racer, developed and mostly driven by Arthur Waite. At the wheel is George Duller after he had won the 500 Miles Handicap Race at Brooklands at an average speed of 89.9 mph (145 km/h). (Bryan Purves Collection)

In 1929 a team of four modified Super Sports Sevens, managed by Gordon England, was entered in the Tourist Trophy race held in the Ards district of Belfast in Northern Ireland. They performed with distinction and came in third, fourth, sixteenth and nineteenth. The production version, officially titled the EA Sports, was marketed in commemoration of this achievement. It was 3 inches (76 mm) lower than the standard model on account of the adoption of a bowed front axle and attendant reverse-camber cord-bound spring. There was a choice of engines, a 24 bhp unblown unit which developed 33 bhp when Cozette supercharged. Unlike the mainstream Sevens that relied on the so-called 'spit and hope' splash oil systems, both versions had pressure-lubricated crankshafts. The Ulster was a true sports car and capable of an appropriately blustery 60 mph (96 km/h). About three hundred were produced between 1930 and 1932.

Supercharged racing Sevens in the 1929 TT at Ards, Belfast, when Sidney V. Holbrook (2) was placed fourth, here ahead of Archie Frazer-Nash (1), who finished third. Their performance encouraged Austin to market the EA or Ulster Seven. (Bryan Purves Collection)

25

A 1932 Ulster, owned by the Austin Seven historian Bryan Purves, competing in the 1998 Monte Carlo Challenge. Purves and co-driver Roger Gourd finished third in their class. (Bryan Purves Collection)

By this time Austin's dominance of 750 cc racing had been successfully challenged by the MGs produced by the rival Morris Motors at Abingdon. This was largely on account of the MG's sophisticated single overhead-camshaft engine, whereas Austin was still reliant on the Seven's ageing sidevalve unit.

In retrospect Austin's victory in the 1930 500 Miles Race at Brooklands, which Sammy Davis and the Earl of March won at 83.41 mph (134.23 km/h), represented a high point in the Seven's racing career. They did not figure in the following year's race, when MG took third place and won the team prize.

In January 1931 Austin's long-standing ambition that the Seven might be the first 750 cc car to attain 100 mph (160 km/h) was thwarted by the cars from Abingdon when George Eyston touched 103 mph (165 km/h) at Montlhéry. Malcolm Campbell

Arthur Waite and the Earl of March (91) in a supercharged orange-hued Ulster in the Double Twelve race at Brooklands in 1930. They were placed seventh and won the 750 cc class. (Bryan Purves Collection)

Austin's Freddie Henry at the wheel of a 1934 EB 65, which evolved into the Nippy. The location was the snowbound roof of Selfridge's store in London's Oxford Street, where that year he demonstrated driving on ice for the Minister of Transport, Leslie Hore-Belisha. (Bryan Purves Collection)

had earlier reached 94 mph (151 km/h) in a modified Ulster at Daytona, USA, although Leon Cushman in an Austin managed the first 100 mph by a 750 cc car in Britain later in 1931.

It was much the same story with the sports Austins of the 1930s, which were essentially tamer than their equivalents of the previous decade. MGs were again predominant although it should be remembered that Longbridge's primary function was to manufacture passenger cars, which it did with greater success at this time than Morris!

The EB 65 Seven of 1933 bore little visual relationship to the Ulster and was an aluminium-panelled car with doors, cycle wings and rounded tail. Mechanically, a bowed front axle was used in conjunction with underslung rear springs. The engine

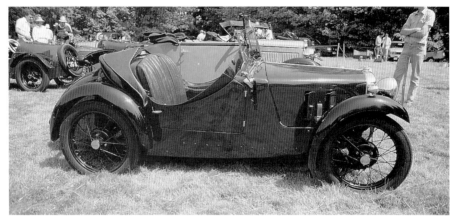

An EK 75 of 1934; in July of that year the model was renamed the AEK Speedy, but it survived only until 1935. (Bryan Purves Collection)

was tuned to 21 bhp.

Its lines were inherited by the outwardly similar but heavier (because of its steel bodywork) AEB Nippy of 1934. This was more popular and survived until 1937, by which time about eight hundred examples had been built.

Rather closer to the Ulster in appearance, if not performance, the pointed-tailed EK 75 appeared in January 1934. It had a similarly lowered chassis to the 65, and the 23 bhp engine was evolved from the Ulster's unblown unit. In mid 1934 the model was renamed the Speedy, but this slow-selling car was discontinued in 1935, after about sixty had been produced.

However, in October of that year the first of the legendary Austin twin overhead-camshaft racers was undergoing testing. It represented the culmination of a programme that had begun in 1932 with the appointment of the talented young and bespectacled Tom Murray Jamieson to revitalise Austin's flagging racing fortunes. He began by first obtaining greater reliability from the single-seater racing Sevens with offset transmission that appeared in 1931. They were dubbed 'Rubber Ducks' by the factory.

This was little more than a holding operation, and the first results of the Jamieson regime were seen in September 1933 with the appearance of a single-seater Seven with new streamlined bodywork. Designed to challenge MG's record breaking, it briefly succeeded and attained over 120 mph (193 km/h). But Abingdon still had the edge, and in 1934 the car was converted for track racing. Although this and a second car achieved some success at Brooklands and in hill-climbs and sprints in 1934 and 1935, Austin was still unable to dent the supremacy of the rival MGs.

The reality was that this could be attained only with a completely new single-seater car powered by a high-efficiency twin overhead-camshaft engine, which, by the very nature of the configuration, bore no relationship to the sidevalve Seven unit. Jamieson was commissioned to design the new car, a venture that cost Sir Herbert personally the huge sum of £50,000. Paradoxically, MG withdrew from racing in mid 1935, but by then work was well advanced on what was destined to be a team of three single-seater Austins.

However, in their first full season, 1936, the twin cams suffered teething troubles, and it was not until the following year that they began to find their form. Jamieson left in 1937 for ERA racing cars, but Austin's Charles Goodacre won all four

Tom Wheatcroft, founder of the Donington Collection, in 1974 with a replica of the 1934 sidevalve super-charged single-seater with offset transmission (right) that was the works' so-called 'No. 2 car'. The engine and gearbox are original. The car on the left is one of the legendary twin-cam Austins of 1936 vintage.

A twin-cam as restored in 1974 by the Donington Collection. The 60 by 65 mm 744 cc supercharged four developed 116 bhp at 9600 rpm on sprint fuel, which compared with the Ruby's 16.5! The only Seven-related details are the transverse-leaf front suspension and quarter-elliptic rear springs.

Coronation Trophy races at Donington in May. He also averaged 105.63 mph (169.99 km/h) when the Austin team won a relay race at Brooklands in the following month.

The cars continued to uphold Austin laurels in races, sprints and hill-climbs during 1938 and again in 1939. Some of the cars' finest performances were witnessed by appreciative crowds at the Crystal Palace circuit in south London. In 1939 Bert Hadley won the Imperial Trophy competition there, a handicap event, held on 26th August, just a week before the outbreak of the Second World War. It was the last race held at the track before the declaration of war, and symbolism was in the ascendancy when MGs were placed third and fourth. With the Seven road car having ceased production earlier in the year, it was an appropriate note on which to bow out.

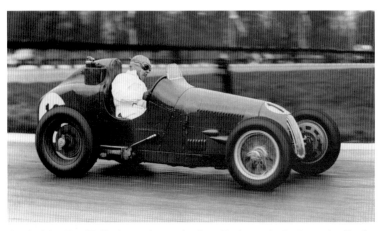

Austin driver Bert Hadley in a twin-cam Austin at Donington in the Coronation Trophy race on 14th May 1938. Charles Goodacre had triumphed in another example in the previous year, but, although Hadley won the first two handicap races, he withdrew in the final after nineteen laps, suffering from oil loss.

After the Second World War the 750 Motor Club was responsible for introducing the 750 Formula for Austin Seven-based racers, far divorced from the originals, to the circuits of Britain. This example dates from 1961 and is fitted with an alloy body by Jem Marsh's Speedex concern of Luton, Bedfordshire. In 1959 he co-founded the Marcos marque.

The spirit of the racing Sevens was maintained by the formation earlier in 1939 of the 750 Motor Club, in which a moving spirit was William Boddy, distinguished editor for many years of *Motor Sport* magazine. After the war, in 1948, the club created the 750 Formula, which propagated a new generation of affordable Seven-based racers, and it played a pivotal role in the development of Britain's now buoyant racing-car construction industry. Its participants included Colin Chapman, founder of Lotus; Alec Issigonis, designer of the Morris Minor and Mini; Graham Hill, world motor-racing champion in 1962 and 1968; and Keith Duckworth and Frank Costin, co-founders of Cosworth, the manufacturer of racing engines.

The Austin Seven has thus reached far beyond those heady days in 1921 and 1922 when a middle-aged motor-industry executive and an eighteen-year-old draughts-man together created a small but monumentally influential British motor car.

AUSTIN SEVEN PRODUCTION 1922-39

1922	178	1928	24,247	1934	22,685
1923	2409	1929	26,540	1935	27,225
1924	4800	1930	23,739	1936	24,523
1925	8024	1931	20,645	1937	20,671
1926	13,174	1932	21,285	1938	8089
1927	21,671	1933	20,383	1939	656

Grand total: 290,944

FURTHER READING

Boddy, W. (editor). *Motor Sport Book of the Austin Seven*. Grenville, 1972.
Harrison, Roland C. *Austin Racing History*. Cable Publishing, 1949; reprinted 1968.
Mills, Rinsey. *Original Austin Seven*. Bay View Books, 1996.
Purves, Bryan. *The Austin Seven Source Book*. Haynes, 1989 and 1997.
Wyatt, R.J. *The Austin Seven*. Macdonald, 1968; David & Charles, 1972 and 1976; Roadmaster Publishing, 1994.

The fate of many Austin Sevens. This one has been pressed into service on a farm and could have been scrapped, converted into a special or even restored.

31

PLACES TO VISIT

As so many Austin Sevens were built, most motor museums contain at least one example. However, you are advised to check whether the car is on display before making a visit because exhibits are alternated or occasionally loaned to other organisations.

Cotswold Motor Museum, Bourton-on-the-Water, Gloucestershire GL54 2BY. Telephone: 01451 821255.

The Discovery Centre, Millennium Point, Digbeth, Birmingham (opening 2001).

Haynes Motor Museum, Sparkford, Yeovil, Somerset BA22 7LH. Telephone: 01963 440804. Website: www.zynet.co.uk/somerset/attract/hayn_mus.html

Heritage Motor Centre, Banbury Road, Gaydon, Warwick CV35 0BJ. Telephone: 01926 641188. Website: www.stratford.co.uk/bmiht

National Motor Museum, Beaulieu, Hampshire. Telephone: 01590 612345. Website: www.beaulieu.co.uk

Science Museum, Exhibition Road, South Kensington, London SW7 2DD. Telephone: 0171 938 8080. Website: www.nmsi.ac.uk (The refurbished Land Transport Gallery is due to re-open in 2000.)

Also Austin Sevens can be seen at events staged by the many clubs catering for the model throughout Britain. All belong to the Austin Seven Clubs' Association, and further information can be obtained from the secretary, Robert Olive, Lorien, The Ridge, Cold Ash, Newbury, Berkshire RG16 9HZ. The 750 Motor Club holds its National Rally on the first weekend of July each year at the National Motor Museum, Beaulieu, Hampshire, and the public is welcome to attend. The club holds racing events throughout the year, and its membership secretary is Neil Carr-Jones, Worth Farm, Little Horsted, Uckfield, East Sussex TN22 5TT.